BRAVO!

_____

est capable de lire ce livre!

À tous ceux qui aiment observer le ciel
— J.O'C.

À Yarden et à Yonatan, qui brillent bien
fort dans mon cœur
— R.P.G.

Aux astronomes amateurs de
la Pennsylvanie, dont l'amitié dépasse
le continuum espace-temps
— T.E.

Catalogage avant publication de Bibliothèque et Archives Canada

O'Connor, Jane
Belle nuit étoilée / Jane O'Connor ;
illustrations de Robin Preiss Glasser ;
texte français d'Hélène Pilotto.

(Je lis avec Mademoiselle Nancy)
Traduction de: Fancy Nancy sees stars.
Pour les 4-6 ans.
ISBN 978-1-4431-0900-0

I. Preiss-Glasser, Robin II. Pilotto, Hélène III. Titre. IV. Collection:
O'Connor, Jane. Je lis avec Mademoiselle Nancy.

PZ23.O26Be 2011   j813'.54   C2010-906590-5

Édition publiée par les Éditions Scholastic,
604, rue King Ouest, Toronto (Ontario) M5V 1E1,
avec la permission de HarperCollins.

5 4 3 2 1   Imprimé au Canada 119   11 12 13 14 15

Sources Mixtes
Groupe de produits issu de forêts
bien gérées, de sources contrôlées
et de bois ou fibres recyclés.
www.fsc.org Cert no. SGS-COC-003098
FSC © 1996 Forest Stewardship Council

Je lis avec Mademoiselle

NANCY

Belle nuit étoilée

Jane O'Connor

Illustration de la couverture : Robin Preiss Glasser
Illustrations des pages intérieures : Ted Enik
Texte français d'Hélène Pilotto

Éditions

■SCHOLASTIC

Les étoiles sont fascinantes!

(C'est un mot chic pour dire

« intéressantes ».)

J'adore les regarder briller dans le ciel.

Ce soir, toute la classe sort. Oui!

Nous faisons une sortie éducative…

le soir! Nous allons au planétarium.

C'est un musée dédié aux étoiles

et aux planètes.

— Le spectacle est à huit heures.

Nous nous retrouverons tous là-bas,

nous dit Mme Mirette.

Je souris à mon ami Robert.

Mes parents nous y conduiront, lui et moi.

— Quelle est l'étoile la plus proche de la Terre? demande Mme Mirette.

 C'est facile. C'est le Soleil.

— Comme appelle-t-on les étoiles
qui forment une figure dans le ciel?
demande ensuite Mme Mirette.

Robert et Béatrice ont oublié. Je m'écrie :

— Je le sais, je le sais!

C'est une constellation!

Mme Mirette hoche la tête.

Des images sont collées au mur.

Il y a les constellations du Cancer,

d'Orion et de la Grande Ourse,

celle qui ressemble à une casserole.

Nous les verrons toutes au planétarium.

J'ai tellement hâte!

À la maison, Robert et moi,

nous décorons des tee-shirts

avec des autocollants phosphorescents.

Je reproduis la Grande Ourse sur le mien.

Robert fait Orion sur le sien.

Nous faisons tourner mon
mobile et regardons les planètes orbiter
autour du Soleil. (Orbiter, c'est un mot chic
pour dire « se déplacer en cercle ».)

Puis, nous orbitons nous aussi.

Nous sommes tout étourdis!

15

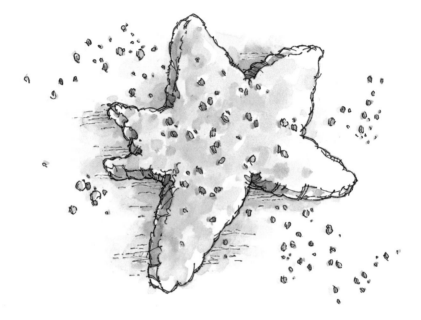

Ensuite, nous faisons des biscuits étoiles.
Les cristaux de sucre coloré brillent sur
le dessus. J'explique à ma sœur :
— Le Soleil est une étoile.
C'est l'étoile la plus proche de la Terre.
C'est pourquoi nous la voyons le jour.

Après le souper, nous attendons la
gardienne. Elle est très en retard.
Mais papa n'est pas inquiet.
Nous avons beaucoup de temps.

Enfin, nous partons.

Flic! flac! floc!

Il pleut.

La pluie tombe de plus en plus fort.

Papa conduit de plus en plus lentement.

Il est de plus en plus tard.

Un policier s'approche :

— La route est fermée,

dit-il à mes parents.

Il y a trop d'eau.

Oh, non!

Il y a des voitures devant nous.

Et il y en a derrière nous aussi.

Nous sommes coincés!

— Le spectacle commence bientôt!
s'écrie Robert. Nous n'arriverons
jamais à temps.

Flic! flac! floc! fait la pluie.

Flic! flac! floc! font mes larmes.

Robert et moi, nous sommes très déçus.

Nous ne voulons même plus de biscuits.

Peu après, les voitures se remettent
à avancer et la pluie cesse de tomber.

Mais il est trop tard. Le spectacle du
planétarium est terminé.

Quand nous arrivons à la maison,

le ciel est couvert d'étoiles.

Elles sont étincelantes!

(C'est une façon chic

de dire « brillantes ».)

Cela me donne une idée brillante.

(Brillante veut aussi dire « géniale ».)

Faisons notre propre spectacle nocturne!

Mes parents vont chercher ma sœur. Nous sortons les chaises de jardin et maman allume des chandelles. Puis nous mangeons nos biscuits à la belle étoile. (C'est une expression chic pour dire « dehors, la nuit ».)

Nous admirons les étoiles.

Nous voyons l'étoile Polaire

et la Grande Ourse.

Puis quelque chose traverse le ciel.

— Une étoile filante! s'écrie mon père.
Faites un vœu!

J'explique à mon père que ce n'est pas
une étoile. C'est un météore!

Mais je fais quand même un vœu.

Le lendemain, Mme Mirette nous dit :

— Comme nous avons tous raté le

spectacle à cause du mauvais

temps, nous y retournerons

la semaine prochaine.

Tout le monde est content.

Et mon vœu s'est réalisé!

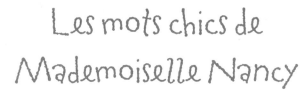

Les mots chics de Mademoiselle Nancy

Voici les mots chics du livre :

à la belle étoile : dehors, la nuit

brillant/brillante : qui brille ou qui est très intelligent(e)

une constellation : un groupe d'étoiles qui forment une figure

étincelant/étincelante : qui brille très fort

fascinant/fascinante : très intéressant(e)

orbiter : se déplacer en cercle autour de quelque chose

un planétarium : un musée dédié aux étoiles et aux planètes